KB103240

아름다울 너의 열일곱 열여덟 열아홉
발 행 | 2024년 01월 16일
저 자 | 전지민
펴낸이 | 한건희
펴낸곳 | 주식회사 부크크
출판사등록 | 2014.07.15(제2014-16호)
주 소 | 서울특별시 금천구 가산디지털1로 119 SK트윈타워 A동 305호
전 화 | 1670-8316
이메일 | info@bookk.co.kr

ISBN | 979-11-410-6683-3

www.bookk.co.kr

아름다울 너의

열일곱
열여덟
열아홉

전지민 지음

CONTENT

프롤로그

누군가 그랬다. 아홉은 불완전하고 위태로운 숫자라고. 그렇기에 스스로를 더 꽁꽁 싸매 지켜야 한다고.
나의 열아홉도 그랬다. 어른이 되기 위해 용기 내어 새로운 옷을 입었다 벗었다 했다. 어른인척.
10년 뒤의 내가 보기엔 엄마 립스틱 바른 6살짜리 같을지 몰라두.

두 달 전 열아홉의 마지막 순간까지, 난 대한민국 입시 열기에 걸맞게 12년 간 하나의 목표를 향해 달렸다. 의대 합격의 순간을 함께한 나의 열아홉은 누구보다 뜨거웠으며, 그 불길이 재가 되어 잔잔한 열기를 품은 지금이다.

수능이 끝난 지 두 달이 흐른 지금. 난 백수다. 백수가 뭔가. 시간은 넘쳐나지만 주머니는 텅 빈 딱 그거. 하지만 열정 넘치는 내 성격 탓에 하루 하루를 알차게 보내고자 매일을 아둥바둥 거리는 중이다.

꽁꽁 싸맸던 어쩌면 그래서 더욱 타올랐던 나의 열아홉과 현역 의대 합격의 이야기 속으로 당신을 초대한다. 더하여 어른들께는 청년의 풋풋한 열기를, 후배들에게는 미래에 대한 다짐과 용기를 주고자 집필한다.

– 우당탕탕 스무 살 백수 전지민

1

나의 학창시절

1-1. 욕심쟁이 소녀

“안녕하세요!”

“우리 부담임 지민이구나~!”

6살 때부터 유치원 부담임 선생님을 맡으며 늘 또래보다 조금 더 성숙했던 나다. 소위 말하는 k-장녀이기도 하고. 8살 때에는 부모님의 퇴근을 기다리며 7시까지 학원을 다녔다. 초등학교 입학 전 아빠가 만들어주신 스케줄 표, 그 칸칸마다 있는 사진 속 여자애 (이름 모를 캐릭터)는 8살 꼬마의 유일한 동질이자 용기였다.

학교에 가면 언제 그랬냐는 듯 친구들과 노느라

바빴다. 그곳에서도 역시 반장을 맡으며 나를 따르라 놀이를 했으니 말이다. 그러다 가끔 신이 가혹한 불호령을 내리기도 했다.

" 고객님의 통화 알이 모두 소진되어 전화를 걸 수 없습니다. 삐—"

쿠구궁 쾅쾅

8살인 내게, 심지어 엄마아빠를 만나려면 (지금이 1교시니까) 적어도 9시간 반은 남은 상황에서 엄마한테 전화를 할 수 없다는 사실을 낯선 여자(아마도 AI)에게서 통보 받은 이 상황은 무척이나 두려웠다. 울며불며 눈물콧물 싹 빼고 난 뒤 곰곰이 생각해보니 다른 친구의 휴대전화가 있지 않은가!

유레카!

한 긍정하는 이 꼬마는 친구의 폴더폰을 빌려 초

등학교 입학 전 주야장천 외워둔 엄마의 전화번호를 눌렀다.

꾹콩 꾹일 꾹콩 꾹오 꾹땡땡땡 일땡땡땡 …

"여보세요~?"

엄마 목소리가 들리자 그 잠깐 사이 묵혀왔던 극한의 공포가 편도체에서 손가락 마디마디로 빠져나갔다. 그렇게 안도의 한숨을 쉬고 다시 두목놀이 하러 갔다.

가끔 부모님이 퇴근하시기 전 홀로 집에 있는 시간이 길 땐, 뭔 갈 해야 했다. 그렇지 않으면 어둠의 귀신이 날 왁! 하고 잡으러 올 테니까. 그래서 책도 읽고 (앉은 키보다 높게 책 탑을 쌓았다. 발육이 우수한 편이라 8살 키 135cm였으니 앉은 키는 대략 60cm 였을 것이다.) 고사리 손으로 요리도 했다. 읽은 책의 대부분은 칭찬을 위한 미끼들이었지만 (30초에 한 권. 그걸 다 읽으면 천재지) 그래도 그 행동이 남들보다 '조금' 뛰어난 내 영특함에 영향을 미친 것 같다.

늘 대장이 되려 하는 어린 아이의 모습 뒤엔 귀여운 야망이 타오르고 있었으니, 본격적으로 이 욕심쟁이의 꿀단지들을 나열해보자면

part1. 운동

도둑에게도 꼬리를 흔드는 리트리버만큼 사람을 좋아하는 내 성격은 친가외가 양쪽 집안 내력이었고, 생존을 위한 최고의 에너지 분출 수단은 '운동'이었다. 피겨스케이팅 1급, 수영, 아이스하키, 태권도4단, 승마... 사실 시작은 쉽고 유지가 어렵다.

나태는 죄목인데 말이지.

part2. 식탐

일례로, 만우절 내 생일에 부엌부터 아일랜드 식탁까지 (4시간 소요) 온갖 요리를 진열해 뷔페를 만든 적이 있다. 가족들을 위해 한식부터 중식, 양식, 일식 그리고 최애 디저트 첵스 초코까지 특별히 내놓았다. 뿌듯해하며 완성하고나니 우리가족이 고작 4명뿐이란 걸 깨달았다.

part3. 상장

상장에 대한 욕심은 두말 할 것 없다. 사실 상장은 기표고, 부모님의 칭찬과 내 프라이드가 기의였다. 상장을 받기 위해 모든 분야를 갈고 닦았다.

글쓰기대회, 학급임원 임명장, 대부분 여자애들이 나가는 피아노 콩쿠르, 미술대회(이걸 위해 미술학원을 등록했다), 심지어는 시 낭송대회, 동화구연대회... 연극대회도 있었던 것 같다. 차곡차곡 쌓여가는 상장과 트로피들을 바라보면 밥을 먹지 않아도 배가 불렀던 기억이 난다.

part4. 악기

피아노와 바이올린, 그 중에서 피아노 비기닝에 대한 일화를 풀어보자면... 6살 때 정말로 좋아하던 7살 언니가 있었다. 둘의 유치원 버스 종착점이 같았는데 그때마다 언니는 아파트 상가의 피아노 학원에 갔다. 그러던 어느 날, 쫄래쫄래 언니를 따라 학원에 들어갔다. 들어가자마자 언니를 반기는 선생님이 계셨고 6살 인생 모든 데이터를 소환해 이 분의 직급을 판단해봤다.

'띵동 원장님입니다~'

오케이 원장님 찾았다. 곧바로 원장선생님(추정)께 인사 드렸다. 앞으로 내 피아노 선생님이 되실 분이니깐. (앞서 언급한 유치원 부담임 경력에서 알 수 있듯 이쪽 분야에서의 두뇌회전이 빠른 편이었다) 그리고 그날부터 피아노학원에 다녔다. 수업 첫 날 무척이나 경직된 두 손이 마치 시장 족발 같았던 기억이 난다.

그날 저녁, 누군가 낮잠을 밤잠처럼 자던 쿨쿨 6살 꼬마를 깨웠다. 아빠였다. 맞다. 깜빡 했다. 엄마아빠께 말씀 안 드렸다. 생각해보니 물주의 동의 없는 즉흥적이자 일방적인 계약이었다. 그래도 괜찮았다. 우리 부모님은 내가 하고 싶어 하는 것들은 다 하게 해주시는 분이니까. (부모님의 믿음과 전폭적 지지는 지금도 유효하다.)

물론 욕심쟁이답게 공부도 열심히 했다.

공부 이야긴 다음 챕터에서 풀어야지.

1-2. 터널

대한민국의 교육 열기는 정말 뜨겁다. 입시에 대한 정렬적인 노력과 열망은 다큐멘터리 주제로 다뤄질 정도로 모두에게 당연스럽게 여겨진다. 이 책의 주인공 욕심쟁이 꼬마도 마찬가지였다. 어린 나는 (위에서 살짝 이야기한 책 탑 일화처럼) 칭찬을 위한 미끼들을 스스로 찾아서 무는 성격이었고, 이는 자연스레 사고력과 인내의 양분이 되었다. 그리고 나는 나의 유년기를 '목적이 다르면 어떤가. 골대에 볼만 들어가면 됐지!' 라고 포장하는 중이다.

초등학생이 된 꼬마는 열심히 공부하고 모든 대회에 열심히 참여했다. 그러다 보니 자연스레 선생님들의 총애를 한 몸에 받았고, 엄마의 상큼발랄 긍정 에너지를 물려받은 덕에 스승의 사랑은 곱빼기가 됐다. (보기보다 부끄럼 많은 성격이라 생략하려 하였지만) 아무튼 그렇게 초등학교 중학교 모두 전교 1등으로 졸업하였고, 그렇게 고등학생이 되었다.

"입시는 전략이다."

존경하는 선생님께서 하신 말씀이다. 따라서 나도 입학과 동시에 내 입시의 전략을 체계화했고, 실행했다. 수시가 승산이 있다고 판단해 1학년 때부터 생활기록부와 내신, 모의고사 점수도 야무지게 챙겼다. 그러나 이 당시 나의 위시 리스트에 의과 대학은 존재하지 않았다.

우리가 살고 있는 2024년도의 대한민국은 구체적인 꿈이 있거나, 직업과 무관하게 미래가 보장되는 부모님의 재력(소위 말하는 금수저)이 뒷받침되지 않는 한 대부분의 이과학생이 '메디컬 학과(의예과, 치의예과, 한의예과, 약학과, 수의예과)'를 선호하는 경향이 강하다. 보장된 사회적 지위와 보수가 이 직업들의 주요 메리트이다. 나 또한 이러한 이유로 중학교 때부터 메디컬 학과에 관심을 갖고 있었다. 그러나 의과대학만은 내가 범접할 수 없는 영역이라고 생각했다. 직업간 우열을 두려는 의도는 없다. 단지 인간의 생사에 가장 직접적으로 관여하는 직업의 책임감과 사명감에 대한 경외감 때문이었다. 또한 '의사가 적성에 맞을까'라는 의구심도 있었다. 아무리 훌륭한 직업도 내 적성과 맞지 않으면 쉽사리 선택해선 안되기 때문이다. (이 생각은 지금도 어느 정도 유효하다.) 더욱이 당시의 나는 법조인이라는 꿈을 꾸고 있었기 때문에 의과대학과는 종이로 된 벽을 두고 있었다. 그래서인지 더더욱 주변 친구들 모두의 입시 방향이 메디컬 학과인 것에 회의감이 들었다. 정의롭고 순수한 열일곱 살의 소녀가 꿈이라는 이상과 현실의 간극을 납득하는 것은 아직 어려운 일이었다. 당시 꿈이 허무맹랑했다는 의미가 아니다. 단지 현실적인 시안으로도 나의 꿈을 바라보기에 너무 어렸다. 그래서 내겐 열심히 공부하는 아이들에게 모두가 획일적인 미래를 외치는 사회가 비뚤어져 보였다. 나만은 절대 직업에 대한 이해도가 부족한 상태로 사회적 물타기에 휩쓸리지 않겠다고 다짐했다. 그러던 도중 내 꿈의 전환점이 찾아왔다. 맹목적인 지향이 아닌 마음이 가리키는 꿈 말이다. 한 플랫폼을 통해 우연히 의학 강의를 수강할 수 있는 기회가 찾아왔다. LCA라는 소아 선천망막질환을 'Prime editing' 기술을 활용해 치료할 수 있다는 내용이었다. 그 과정에서 이 기술로 앞을 볼 수 있게 된 한 아이의 시가 소개되었는데, 그 중 한 구절이 내 뒤통수 쪽 종을 울린 것 같았다. 왜 하필 뒤통수냐 묻는다면 나도 모르겠다. 진짜 뒤통수에 광명이 비쳤다.

'바람은 나랑 엄마랑 아빠가 공평하게 느낄 수 있어서 좋다'

촉감으로 느껴지는 갈대밭의 바람만이 아이와 엄마아빠가 같이 느낄 수 있는 존재였다. 그런 아이가 의술의 발달로 앞을 볼 수 있게 되었을 때 그 기쁨은 가히 형용할 수 없을 정도였겠지. 이런 것이 의사의 삶이구나. 의사는 단지 질병을 치료해 주는 것뿐 아니라 누군가의 삶에 희망과 꿈을 선사하는 직업이었다. 의사는 주저앉은 누군가의 손을 잡고 일으켜줄 수 있는 사람인 것이었다. 이런 생각도 들었다. 현재 사회에 만연한 의료계에 대한 왜곡된 인식 중 하나는 (물론 때때로 실제 그런 분들도 계시지만) '의사는 기계같이 딱딱하고, 이윤만을 추구하는 기득권층' 이라는 것이다. 이 인식을 바꾸고 싶었다. (그러나 아직 기존의 법조인이라는 꿈에 대한 열망이 우세했다.) 그러던 중 한 선생님께서 책 한 권을 빌려주셨다. <그 청년 바보의사>, 그리고 이 책의 저자이신 고 안수현 의사선생님의 따스한 진심이 의사라는 직업에 대한 나의 호기심과 열정을 클라이맥스를 향해 부추겼다. (의과대학 진학을 희망하는 학생이라면 이 책을 꼭 읽어보았으면 한다.)

한 사람이 달라진다고 세상을 바꿀 순 없다고, 옛날엔 다들 그렇게 말했다. 그러나 21세기 현재는 쿰쿰하게 묵혀있는 옛 체계에 자유롭게 개선점을 제기할 수 있는 사회라고 생각한다. 특히 그 방법이 훨씬 다양하고 다채로워졌다.

'마음이 맞는 사람들을 찾아 진정한 의사의 모습을 보여주고 싶다. 잔잔히 빛을 내는 우리들의 모습이 세상을 밝혔으면 좋겠다.'

난 이러한 다짐을 안고 의과대학 진학을 목표로 입시의 방향을 180도 틀었다. 모든 고등학생들이 그렇듯 최선을 다해 교과목을 공부하였다. 의학 시사뿐만 아니라 인문학 공부도 병행했다. 또한 나만의 차별점이 있다면, 난 의과대학 진학을 희망한다고 하여 이과과목만 수강하지 않았다는 것이다. 윤리와 사상, 정치와 법, 생활과 윤리, 사회문화와 같은 과목도 수강하며 생활기록부에 의사가 진정으로 갖추어야 할 자질에 대한 내 신념을 자연스레 비추었다. 물론 생명과학과 화학, 고급생명과학과 고급화학 등 기본적인 학문도 당연히 수강했다. 또한 요즘은 다양한 플랫폼을 통해 대면으로는 만나 뵙기 힘든 분들의 강연 등 지식 습득의 기회에 쉽게 접근할 수 있다. 물론 학교 교과

과목 공부가 최우선이지만 틈틈이 철학, 경제학, 건축학, 미학 등등 여러 학문에 관심을 가져보는 것도 중요하다고 생각한다. 식견이 넓어지면 같은 길을 가더라도, 바라보는 풍경과 만날 수 있는 사람이 달라지니까.

'지금 내 환경에서 할 수 있는 나만의 차별화는 식견을 넓히는 거야. 기회는 준비하는 자가 잡는 거니까.'

이것이 고등학교 3년 내내 머릿속에 박혀있던 확언 중 하나다. 또한 의과대학 진학을 희망한다고 내 진로를 의사로만 확정한 것이 아니다. 훗날 로스쿨에 진학하여 법의학자가 될 수도, 또 좋은 기회로 의학 방송에 출연할 수도 있기 때문에 난 모든 기회를 준비하고 있다. 꿈과 꿈 사이의 갈래

길에서 나는 현실적이고 이상적인 시안으로 가까운 미래의 직업을 정했고, 조금 먼 미래에 또 다른 꿈을 녹이는 길을 택했다.

이외에도 입시의 가장 기본적인 요소인 고등학교 학업에 대해 이야기하라고 한다면, 아마 모두가 잔인한 내신 산출 과정을 꼽을 것이다. 시험점수 0.2점 차이로도 등급이 나뉘며, 심지어는 같은 성적대가 많아 1등급이 존재하지 않기도 한다. 또 누군가는 한 과목만 열심히 공부하여 점수를 가져가는 등급 나눠먹기가 만연해있다. 따라서 열심히만 하면 A받던 중학교 내신과는 차원이 다르다다. 그 과정 속에서 나 또한 상대평가의 버림을 받던 학생 중 하나였다. 1학년 때에는 늘 2등급 문을 닫는 과목이 발생했다. 세상이 밉고 모두가 미웠다.

'차라리 문을 닫지 왜 문을 열게 하십니까!!'

그렇게 1학년을 총 내신 1.2점으로 마치고 2학년이 되었다. 정말 독기 품고 열심히 공부했다. 특히 다른 이과 친구들과 다르게 사회과목도 선택했기 때문에 그들과 같은 과목을 수강하면서도 문과 친구들과도 경쟁해야 하는 아이러니한 상황이었다. 학교별로 교육과정이 다르겠지만, 우리 학교는 2학년이 내신 공부의 클라이맥스였다고 생각한다. 공부량이 제일 많다. 그러나 2학년은 전교생이 같이 상대적으로 쉽고 얕은 내용을 다루던 1학년때와 달리 각자가 자신 있는 과목을 선택해 집중적으로 공부할 수 있기 때문에 시간 투자에 따른 아웃풋 산출의 효율이 나아진 상황이었다. 물론 문과과목과 이과과목을 모두 공부해야 했던 나를 제외하고 말이다. 그러나 욕심쟁이이자 긍정왕인 나는 앞뒤안보고 달렸다. 계속 달렸다.

쭈-욱

그 결과, 감사하게도 2,3학년 모두를 1.0으로 만회한 덕에 총 내신을 1.04으로 마무리할 수 있었다. 의과대학에 지원하기에 충분한 내신 점수였다.

신중히 원서를 쓰고 (도전보단 안전을 택했다), 대학교 별 면접을 준비하기 시작했다. 특히 몇몇 의과대학은 MMI(Multiple Mini Interview 다중미니면접, 2~3개의 방에서 순차적으로 여러 자질을 평가함)를 실시하기 때문에 이를 비롯해 생기부 면접과 교과목 이해도 구술면접까지 준비했다. 나는 왜 남들과 달리 빙빙 길을 돌아가는 것일까, 왜

항상 고난에 고난의 연속일까 싶어 우울했던 시기도 있었다. 만약 당신이 그런 시기라면 내가 동료가 되어주겠다. 이런 나도 결국은 해냈는데 당신이라고 못할까? 힘을 내자.

면접과 수능을 앞두고 세탁기에 돌려버린 니트처럼 쫄쫄 쫄아있는 내 마음을 진정시키기 위해 부단히 노력했다. 친구와 함께 입시대박 기원 부적을 만들기도 했다. (전지사이즈 초대형 부적이었다.) 그리고 매일 밤 자기 전 부적을 향해 기도했다. 자체 제작한 성스럽고 품격 있는 글귀를 외치며.

'넌 돼 Pretty bi**ch. 그니까 쫄지 마'

물론 속으로 말이다.

순식간에 두 달이 흘렀다. 면접이라는 정글을 뚫고 나온 지 며칠 후 곧바로 수능을 치렀다. 그리고 그렇게 내 입시는 끝이 났다. 나의 수능에서 특별한 점이 딱 하나 있다면 평소 습관과도 연관된 것인데, 점심을 굶는다는 것이다. 아침도 가볍게 먹는다. 시험날만 되면 식곤증이 심하게 도지는 편이라 차라리 굶는 게 훨씬 효율적이라는 판단! 최상의 컨디션을 유지할 수 있는 나만의 루틴을 찾고 반복하는 것이 수능 꿀팁 아닐까?

언제나 해피엔딩이 좋다. 드라마도 영화도

현실도, 심지어는 손톱과의 사투도.

그러니 나도.

'축하합니다. 의예과 합격'

길고 긴 터널이었다. 오디세우스의 귀향처럼 폭풍우 속에 아찔하게 닻을 세우고 있는 작은 돛단배도 결국은 육지에 도달한다. 신이 도왔더래도 그것조차 당신의 간절함이고 열정에 대한 응답이니 결과에 대해 충분히 기뻐하고 스스로를 힘껏 껴안아주자.

나의 터널엔 모두 나열할 수 없는 너무나 많은 분들의 응원과 격려와 도움과 가르침이 있었다. 무엇보다 날 믿어주시고, 내 모든 선택을 지지해주시고, 20년을 바쳐 함께해주신 부모님께 감사 드린다. 또한 이렇게 어깨피고 당당하게 감사인사 드릴 수 있음에 진심으로 감사 드린다.

더하여, 나 스스로에게 다짐한다.

늘 겸손하게, 묵묵하지만 발랄하게 나아갈 것!

1-3. 아름드리나무

중학교 2학년 때, 딱 중2병이 도졌을 때 담임선생님께서 이런 말씀을 해주셨다.

“저기 보이는 저 나무가 왜 아름다운지 아니? 만약 저 가지가 올곧게 한 방향으로 쉬이 나아갔다면 어땠을까? 여러 길을 겪어봤기 때문에 아름다운 나무로 자라난 거야.”

울창한 아름드리나무는 가지를 뻗기 위해 아파도 보았고 힘차게 달려도 보았기 때문에 존재할 수 있다. 모든 이들의 입시도 (아직 잘 모르지만 아마 우리의 인생도) 그러하다.

그리고 나무가 굳건히 서 있기 위해선 뿌리내릴 든든한 토양이 필요하다. 탄탄한 자존감과 자애는 훌륭한 토양이 되고, 주변사람들의 심지어는 이름 모를 누군가의 격려와 응원의 한마디는 훌륭한 양분이 된다. 하지만 꾸준한 광합성과 세포호흡을 위해선 지속적인 무언가가 필요하다. 나는 그것을 '취미'라 부르겠다.

수험생 시기를 버티게 해준 나의 취미는 덕질과 그림 그리기였다. (시험이 끝나는 날짜와 어쩜 딱 운명처럼 맞아떨어진☺) 콘서트와 팬미팅을 다녀올 때마다 난 삶의 이유를 깨달았다. 좋아하는 가수와 같은 공간에서 숨쉬고 같은 감정을 공유하고 있다는 사실만큼 벅차오르는 일은 없는 것 같았다. 특히 시작을 앞두고 양 옆자리 팬 분들과 간식을 주고받으며 수다 떠는 일도 콘서트의 묘미였다. 새로운 사람과의 만남에 대한 설레임과 동시에 곧 시작될 콘서트에 대한 두근거림은 내 귀에 들릴 정도로 심장을 뛰게 했다.

Straykids everywhere all around the world!

고등학교 3학년 여름방학은 수능 전 마지막 방학이자 원서를 쓰기 위한 고뇌의 시기이다. 어쩌면 마지막 부스터가 필요한 시기이기도 하다. 이 시기의 나를 버티게 해준 취미는 그림 그리기였다. 매일 집에 돌아오면 스케치북을 펴고 붓을 잡았다. 그리곤 오늘 내 기분에 맞는 노래를 선곡한 뒤

아무 생각 없이 그림을 그렸다.

아래는 끄적끄적였던 나의 그림들 ☺
풍경화도 좋아하지만 주로 귀여운 것들을 그렸다.

<잊지마 곰돌, 네 곁엔 꿀병과 꽃들이 있단 걸>

<산을 오르다가>

그림을 그리다 보면 잡생각이 사라진다. 중간에 망한 것 같아서 절망하다가도 완성하고 나면 나쁘지 않은 것 같아 다시 기분이 좋아진다. 그림은 그런 것 같다.

'끝을 보기 전까진 결과를 알 수 없는 것'

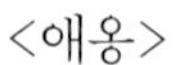

<애옹>

<생각보다 더 행복한 멍무의 하루>

입시가 끝난 요즘 오랜만에 다시 붓을 들었다.
언제나 그랬듯 평화롭고 충만하다. 모든 게.

그렇게 우리의 아름드리나무는 자라나고, 이는
'온전한 나'라는 하늘아래 대견히 성장해나간다.

당신의 입시가 뜻대로 이루어지길!
그리고 입시가 끝난 당신의 현재와 미래도
은은한 잔향을 남기는 매일이길 !

2

홀로서기 작전

2-1. 어른이 될 준비

가끔 그럴 때가 있다. 지금 나의 감정에 따라 보여지는 세상이 달라진다. 도롯가에 난 풀꽃이 새삼 예뻐 보이다가도 어느 날은 신경도 쓰이지 않을 만큼 냉소적이어진다. 마치 계속해서 마음의 필터를 갈아 끼우는 느낌이다. 과거의 나는 이 사실이 기분 좋게 다가오지 않았다. 모든 게 마음먹기에 달렸다고 하는데 도대체 마음을 어떻게 먹어야 세상을 조금이라도 일관적으로 볼 수 있을지 궁금했다. 그리고 이 호기심이 내 가치관 형성의 시작이었다.

가치관이란 세상을 바라보는 틀이라고 생각한다. 어떠한 현상을 보고 선과 악을 판단하며 그에 따라 내 행동도 달라지게 만드는 것.

내 이야기에 앞서 당신의 이야기를 듣고 싶다.

당신의 가치관은 무엇인가?

내게 독서는 누군가의 생각을 합법적으로 훔쳐보는 경험이었다. 그 중 <레프 톨스토이: 사람은 무엇으로 사는가>, <헤르만 헤세:데미안> 은 그 시기의 내가 필요로 했던 이야기를 들려준 책들이었다. 그리고 독서를 통해 내가 내린 결론은 '사랑'하는 삶이다. 내 사전 속 사랑은 이성간의 사랑외에도 가족과의 사랑, 친구와의 사랑, 음식에 대한 사랑, 존재에 대한 사랑 등 광범위한 방향성을 내포한 개념이다. 그리고 존재에 대한 사랑은 감사로 이어진다. (오프라 윈프리의 감사일기 일화가 의미하듯, '감사' 또한 중요한 마인드라고 생각한다.) 이 다짐을 계기로 열여섯의 나는 매달 내 용돈의 10%를 기부하게 되었다. 부모님 몰래 시작한 기부가 이제 5년차에 접어들고 있다. 내게 직업과 무관한 꿈이 있다면, 훗날 경제적 독립의 시기엔 더 많은 사람들을 돕는 것이다. 이렇게 사랑과 감사를 녹여낸 삶은 코코아에 마시멜로우가 녹아 내려가듯 내 하루를 달콤하게 만들기 시작했다. 이러한 하루하루가 차곡차곡 쌓이며 사랑과 감사는 무의식적인 습관처럼 변해있었고, 이러한 내 모습은 친구들과의 대화에서 자연스레 묻어 나온 듯 했다. 언젠가 각자의 꿈에 대해 이야기하는 시간이 있었다. 그리고 한 친구의 이야기 차례가 왔다. 평소 툭툭 던지는 말에도 위트가 가득 담겨 인기 많던 친구였기에 두 귀를 쫑긋 세우고 경청했다. 그러던 도중 그 친구의 한 마디가 날 녹였다.

"저번에 지민이가 사랑하는 삶을 살아갈 것이라고 말한 것에 큰 인상을 받았습니다. 누군가 제게 앞으로 어떻게 살아갈 것이냐고 묻는다면, 저 또한 사랑하는 삶을 살아갈 것이라고 대답하겠습니다."

그녀는 나의 가치관에 진심으로 감명을 받았다고 말했다. 자신도 그러한 삶을 살 것이라고 말했다. 비록 한 줄 정도의 인용구였지만 내 한 마디가 누군가의 삶에 영향을 끼쳤다는 사실이 영광스러웠다. 그래서 그 날 이야기를 다이어리에 꽉 차게 적어 내려갔다. 그 감정은 형용할 수 없는 기쁨과 고마움과 자긍심과 당혹과 행복의 총집합이었다! 만약 이 책의 한 구절이라도 당신에게 인상을 준다면, 난 그 사실에 오늘 방방 뛸 것이다.

물론 앞으로 배워갈 삶의 지혜가 아직은 좀 삐그덕거리는 나의 가치관을 다듬어주겠지만, 사랑이라는 그 뿌리는 변하지 않을 예정이다. 카페 창가에서 지는 해를 옆에 앉히고 글을 써 내려가는 지금 이 순간조차도 내겐 너무나 사랑스럽고 감사한 존재니까.

2-2. 무엇이든 될 수 있는 말랑점토

누군가 그랬다. 어른이 되면, 모든 상황을 그간의 경험을 바탕으로 판단하게 된다고. 그리고 그게 굳혀지면 '꼰대'가 되는 거라고. 솔직히 두려웠다. 어느새 나도 모르게 내가 맞다고만 생각하는 사람이 되어있을 까봐. 그래서 스무 살이 되기 전 고등학생의 나는 더더욱 점토로 살고자 했다. 아직 배운 것이 적고 삶의 지혜도 적다는 건 결국 무엇이든 될 수 있는 말랑점토라는 거니까. 부족한 부분을 메꾸고 넘치는 부분을 덜거나 다졌다.

먼저 그 동안 내가 반복적으로 겪은 갈등들의 원인을 생각해봤다. 반복이라는 건 결국 그 원발점이 존재한다는 거니까. 그리고 내 단점을 찾아냈다. 단점을 고치기란 쉽지 않았다. 우선 제 3자의 시선에서 내 행동을 바라보고, 내 잘못을 인정하고, 행동으로 옮기는 3단계의 노력이 필요했다. 그 후 메모장에 무언가를 적었다. 스스로에게의 다짐이자 일종의 지침이었다. 이같은 상황을 마주한 미래의 나를 보듬어주고 격려할 이야기들을 적어 내려갔다. 그렇게 나는 남들에게 말 못 할, 나만 알고 있던 나의 단점이자 약점을 고쳐나갔다.

나만의 세상에 갇혀 진짜 세상을 바라보지 못하는 사람이 되고 싶지 않다. 열린 눈으로, 객관적인 시선으로 나를 바라보고 고쳐나갈 수 있는 그런 어른이 될 것이다. 어쩌면 우리 사회는 이런 어른을 필요로 하는 것이 아닐까. 반복되는 일상에 잠겨 마음까지 잠겨버린 그런 어른 말고.

2-3. 입시 끝난 열아홉은 자유에요

갓 스무 살이 되었다는 것은 꽤 많은 변화를 불러왔다. 우선 법적인 보호막이 사라졌고 그러니 이제부터의 내 모든 행위는 모두 나의 책임이다. 책임과 동시에 그에 따른 자유가 생겼다. 이 자유로 인해 불과 몇 달 전까진 불가능했던 일들이 가능해졌다. 우선 아마 스무 살을 앞둔 모든 열아홉들의 로망인, 친구들과 술 마시기! 클럽 가기! ^3^ 등등 너무나 많은 자유들이 날 와락 덮쳤다. 어김없이 쏟아지는 자유의 향연에 파묻히던 중 문득

이런 생각이 들었다. 입시가 끝나기 전 열아홉의 나는 어떻게 놀았는가. 이런 자유가 없던 시절의 나는 무슨 재미로 살았을까! 스무 살이 되기 전까지 내내 '내게 자유를!'을 노래하던 열아홉은 혼자 어떻게 놀았나. (참고로 우리 집은 비교적 개방적인 가정이다.) 기억을 더듬어 입시 끝난 고3이 혼자 놀았던 방법을 몇 가지 공개한다. 예비 수험생 혹은 혼자 놀기를 희망하는 분들께 추천한다. 본격적으로 더 자세한 혼자 놀기 리스트는 추후에 책으로 집필해보려고 한다. (몇 년이 걸릴 진 모르겠지만) 혼자 놀기의 달인으로서 레벨 1부터 레벨 6까지 점점 강도를 높일 테니 자신의 혼자 놀기 실력을 판단해보는 것도 좋을 듯 하다.

혼자 놀기 = 혼놀을 의미한다

1. 카페 혼놀

스땡벅스에서 마시고 싶은 음료 하나 시킨 후 보고 싶은 콘텐츠를 맘껏 즐긴다. 참고로 올해는 수험생 혜택을 받아 무료로 사이즈 업(특정 음료에 한에)이 가능했다. 집에서 침대에 누워 혹은 소파에 누워 볼 수도 있지만, 같은 행동이라도 환경이 변화하면 그 기분이 달라진다. 가는 길에 스리슬쩍 다른 곳도 들려주고, 공부만 하느라 주위 볼 겨를도 없었던 나의 눈과 고개도 요리조리 돌려주고. 혹시 스땡벅스에 갈 예정인 다이어터라면, 말차프라푸치노에 시럽제외 혹은 카페라떼에 우유를 오트밀크로 변경해서 핫으로 먹어보는 것 추천한다. 물론 휘핑크림은 빼야 한다.

2. 영화 혼놀

혼자 보는 영화는 늘 새롭다. 영화 본연의 의미를 온몸으로 감상할 수 있기 때문이다. 주인공의 표정, 대사, 카메라의 구도, 배경음악 모든 요소에 집중하며 온전한 몰입에 이른다. 그리고 기록하고 싶은 생각이 떠오르면 다이어리에 몇 줄 끄적여 보는 거다. 어제 본 영화는 내게 이런 생각이 들게 했다.

'내가 사랑하고 싶은 사람. 함께 있어도 혼자 있을 때처럼 자유로운 사람'

-영화 <싱글 인 서울> 을 보고

아리스토텔레스가 주창한 인간의 윤리 중 하나는 사회적 존재로서의 윤리라고 한다. 사람 좋아 인간인 나는 이 주장에 적극 동의한다. 하루라도 사람 만나기(수다)를 하지 않으면 온몸이 찌뿌둥하니 말이다. 적어도 내게 홀로 누리는 휴식은 양옆에 '사람 만남'과 부둥키고 있다. 그렇지만 온전히 스스로에게 집중하는 시간은 나를 더 단단하고 사랑스러운 사람이 되게 한다. 때문에 열아홉의 나는 이러한 시간들을 보내며 내면적 홀로서기를 시작했다.

3. 쇼핑 혼놀

쇼핑을 꼭 누구랑 가야 한다는 법이 있나! 수고한 나 자신을 위해 온라인 말고 오프라인 쇼핑을 도전해보자. 가격표에 어마무시한 숫자가 써 있어도 당황할 필요 없다. 어차피 혼자 노는 중이니까. 그러다 마음에 드는 물건이 있다면 내게 선물해주는 것이다. 오로지 나만을 위한, 나에 의한 시간이다.

4. 미술관, 전시회 혼놀

누군가와 함께 작품을 보러 가면 나 혼자 온전히 생각할 시간을 갖기 힘들다. 당연하게도 우린 서로의 포텐에 맞춰주는 배려가 온몸에 베어있기 때문이다. 그러나 혼자 미술관이나 전시회에 가면 꽂히는 작품 앞에 멈춰 서 오랜 사색에 잠겨도 나무랄 이가 없다. 하지만 멋지게 전신샷을 찍어줄 사람이 없다는 게 유일한 단점이긴 하다. 그럴 땐 데이트 중인 커플에게 정중히 부탁해보는 용기를 가져보자.

5. 사진 찍기 혼놀

어찌 보면 5번과 겹치긴 한다. 그러나 사진 찍기는 평소 무심코 걷던 길을 돌아보는 계기가 되기도 한다. 꼭 멀리 나갈 필요는 없다. 집 근처 산책로도, 편집샵 안 아기자기한 오브제들도 혹은 아파트 벤치도 모든 것이 피사체가 될 수 있으니 말이다. 카메라를 들면 자연스레 시계와 휴대폰이 아닌 풍경을 보게 된다. 그러다 맘에 드는 컷이 나오면 내심 뿌듯해하며 이러다 사진 작가되는 거 아닌가 하는 김칫국도 마셔보는 거다.

6. 여행 혼놀

혼자서 여행할 수 있는 곳은 참 많다. 그러나 아쉽게도 이 시절의 나는 청소년이므로 숙박을 하기엔 제한이 많았다. 그러니 당일치기 여행 경험을 공유한다.

주로 내 여행의 목적지는 자연이었다. 힐링을 위한 여행! 서울을 기준으로 가까운 바다는 강릉!

정동진 바다에 가본다. KTX를 타고 가는 길에 맛집을 검색한다. 도착하면 지도를 켜서 뚜벅이로 혹은 버스를 타고 맛집에 가 밥도 야무지게 먹어 준다. 바다에서 산책도 하다가 카페에 들러 책도 읽어보거나, 아이패드를 꺼내 쓱쓱 그림도 그려본다. 카페 안에 있는 고양이가 보이면 슬쩍 다가가 꾹꾹이를 당하고 냥냥펀치도 맞아준다. 바다의 노을을 바라보며 시간 가는 줄 모르고 있다가 그때쯤 집으로 돌아오는 것이다.

여행의 목적지는 다양하다. 제주도나 일본 당일치기도 재미나다. 혹은 여기서 더 먼 바다나 낯선 지역에 도착해 아무 계획 없이 뚜벅이 신세가 되어보는 것도 신선한 경험일 것이다. 혼자 여행 중

가장 중요한 것은 (안전은 물론이거니와) 누구의 신경도 쓰지 않고 오로지 나에게 집중하는 것이다. 내 상처나 내 수고를 제일 잘 아는 사람은 나이기에, 날 쓰다듬어 주고 칭찬해줄 사람은 나이기도 하다.

스무 살이 되었으니 앞으로 난 더 재미난 혼놀을 즐길 예정이다. 이외에도 나를 위해 평소 해보고 싶었던 공부를 해보거나, 새로운 취미를 갖거나, 외면을 가꾸는 등 우리가 할 수 있는 것은 많다. 중요한 것은, 입시가 끝났다고 내 인생도 끝나버린 듯 살지 않는 것이다. 능동적인 삶을 살며 스무 살, 스물 한 살, 서른 살, 마흔 살... 우리의 미래를 꿈꾸고 가꿔보자!

3

우린 어떤 어른이 될까

3-1. 호기심 많은 스무 살

현재 나는 모두가 말하는 청춘의 봄, 스물이다! 지긋지긋했던 입시가 끝났고 대학교에 입학하기 전 두 달이라는 시간을 안고 있다. 어린 시절 늘 궁금했다. 무직이지만 무직 아닌 스무 살의 나는 어떻게 살아가고 있을까. 그리고 그 질문에 이제는 대답할 수 있다.

'기회는 준비된 사람이 잡는 거야!'

더 넓은 세상에서 내 꿈을 펼치기 위해, 더 많은 사람들과 만나기 위해, 난 언젠가 다가올 내 기회를 향해 준비 중이다. 고등학교 때는 대학입학을 목표로 국가가 제시하는 교육과정에 충실해야 했다. 그러나 이제는 더 이상 고등 수학, 국어, 영어 등을 공부할 필요가 없다. 내가 하고 싶었던 공부를 시작했다.

1. 외국어 공부

사람은 대화를 통해 사람을 사귀며, 배운다. 그러나 안타깝게도 한국어는 전세계 공통언어가 아닌 탓에 소통의 한계가 분명히 존재한다. 그리고 난 이로 인해 언어가 나의 앞길을 막는다면 너무나 속상할 것 같았다. 그러니 지금, 스무 살 백수 시기에 외국어 공부를 통해 더 다양한 사람들과 마음을 나누고 정보를 나누며 세상의 다채로움을 배우고자 노력 중이다. 어떠한 분야든 언어라는 장

벽을 넘지 못하면 자신의 커리어를 계속해서 발전시키기 어렵다. 더 넓은 세상에 나갈 수록 더 많은 기회가 찾아오지 않겠는가! 당차게 전진해 나아갈 나의 길은 내가 만드는 것이니 말이다.

2. 컴활 자격증

직종 상관없이 모두가 갖추어야 할 능력이다. 컴퓨터 활용 능력을 갖추면 다양한 분야의 일을 효율적으로 처리할 수 있다는 장점이 있다. 언젠가는 따야 할 자격증 지금부터 따두면 좋으니까.

3. 악기

고등학교 시절 나의 스트레스 해소법 중 하나였다. 연주할 때만은 오로지 악보에만 집중하므로 그 순간 내 잡념들은 잊혀졌다. (더하여, 개인적으로 악기를 연주하는 사람은 성별에 관계없이 굉장히 매력적이다.)

4. 스포츠

더 많은 사람과 어울리고 또 새로운 사람을 만날 수 있는 방법 중 하나는 스포츠라고 생각한다. 직업과 무관하게, 나의 사회생활과 무관하게 오로지 운동이라는 목적 하나만으로 모두가 땀 흘리며 순수하게 흘러가는 이 시간이 정말 좋다. 동시에 신체 건강도 챙길 수 있으니 일석이조 !

5. 그 외 당신이 호기심 생기는 모든 것들

1월, 2월

백수 스무 살의 시기는 오직 나의 의지만으로 모든 것을 변화시킬 수 있는 무한한 기회의 장이라고 생각한다. 매일 집에서 뒹굴 거리고, 술만 마시며 다신 없을 두 달을 흘려 보낸다면 너무나 아쉬울 것 같다. 이렇게 거만 혹은 회피에 기대며 살아가다 보면 삶에 재미가 없지 않겠는가. 능동적인 인생은 그 자체로 스스로에 대한 사랑의 방증이라고 생각한다. 꾸준히 자기 계발하는 삶을 살며 열정적으로 우리의 청춘을 빛내자!

3-2. 어른이 된다는 건

'어른이 된다는 건 어떤 변화를 의미할까?'

'어른이 되면 난 어떤 사람이 되어있을까?'

늘 궁금했다. 나에게 어른은 힘세고 강하며 쉽게 무너지지 않는 소나무였다. 나에게 어른은 뭐든지 해낼 수 있는 만능박사였다. 그리고 어릴 적 내가 보던 스무 살 언니오빠들은 고3이라는 난관을 이겨내고 인생 제 2막을 시작하는 멋진 어른이었다. 시간이 흐르고 스무 살이 되어 바라본 스무 살은 삶의 언덕 하나 넘은 천방지축 어린애들이다. 법적으로 성인임을 인정받은 지금도 어른이 된다는 건 무엇일지 궁금하다. 언제쯤 대답할 수 있을까? 그리고 그때쯤의 내겐 나이와 비례한 지혜가 함께 하길 바란다. 나이가 많다는 건 경험이 많다는 것이고, 그 경험에서 우러나오는 지혜는 자연스러운 것이라고. 이렇게 말할 수 있는 그런 어른 말이다. 아직 철없이 어린 나이지만, 스무 살이 되며 얻은 사실 하나가 있다. 어른이 되어가며 우리는 그 동안의 추억으로 기억으로 하루를 살아간다는 것을. 그 추억이, 기억이 내가 되며 그렇게 더 단단한 어른이 되어간단 걸.

도#

첫 콩쿠르날, 부모님과 선생님의 응원을 뒤로 하고 처음 내리친 피아노 건반 소리. 그 소리를 시작으로 몇 번이고 되 뇌인 다음 건반을 눌러가던 작은 두 손. 바들바들 떨리던 열 손가락에게 그 건반들은 두려움이었을까, 용기였을까, 실수였을까, 기쁨이었을까. 그 감정의 실체가 무엇이던 상관없다. 언제나 그랬듯 기억은 사랑스럽고 자랑스러운 지금의 우리들을 만들어 냈을 테니. 두려움을 극복한 그 날이 8살 어린아이의 삶을 새롭게 작곡한 날이 되었듯이.

그리고 누군가 그랬다. 망각은 신의 선물이라고. 아픈 기억은 사라지고, 좋았던 기억만 품고 살아가라고. 그러니 그 날이 나쁜 기억이 될 것이라고 괴로워하며 소중한 오늘을 놓치지 말라고. 그렇게 우린 망각과 기억을 함께하며 적당히 괜찮았던 그때를 만들고 그렇게 살아간다.

Keep your chin up!

4-1. 학교를 왜 다녀야 해?

효율적인 삶을 지향하는 사람 중 한 명으로서 학창시절 학교가 무의미하다는 생각이 들었다.

'필요한 공부는 집에서 하면 되고, 친구는 밖에서 만나도 충분한 거 아닌가? 답답하고 유도리 없는 규칙 속에서 하루 종일 사는 게 맞는 건가?'

그리고 열아홉의 겨울, 졸업을 앞두는 시점에서 차츰 학교의 의미를 알게 됐다.

*개인주의: 책도, 영화도, 드라마도, 뉴스도 여러 매체들이 공통적으로, 꾸준히 다루는 주제이자 자

본주의 사회의 발전의 (어쩔 수 없는) 방증.
그리고 이는 우리들에게 자연히 녹아 들어왔다. 자본주의의 발전에 따라 심화되는 자본시장의 혹한기, 그리고 가변자본의 감소와 불변자본의 증가에 따른 평균이윤율 저하라는 논쟁 속에서 우리 개인은 더욱 치열하게 자신의 것을 지켜야 하기 때문에.

어른들이 세상이라는 사회 속에 산다면, 아이들은 학교라는 사회 속에 산다. 어른들의 개인주의는 아이들의 개인주의로 나타나고 어른들의 사회는 아이들의 학교가 된다. 그렇게 우리는 살아왔다. 그러나 아이들은 나이도 몸도 마음도 작기에 학교라는 작고 작은 사회를 살아간다. 그 속에서는 강과 약이 확실하며, 잘못은 다그치고 잘한 일은 칭찬해주며, 나를 올바른 길로 인도해줄 선생님이, 언제나 눈 돌리면 호시탐탐 장난의 기회를 노리는 친구들이 있다. 우리는 그 속에서 달라질 수 있고 성장할 수 있다. 그리고 나의 잘못, 실패에 대한 대가 또한 인도적이다. 물론 학교의 모든 어른이 현명하진 않을 수 있다. 그 분들도 한 사람이니까. 그렇지만 대부분의 선생님들께선 지혜로우시다.

그러나 어른들의 사회는 대부분 모든 것이 강이며, 잘못은 나의 약점이, 잘해내는 것은 나를 지키기 위한 수단이 되고, 날 인도해줄 따뜻한 사람을 만나는 것은 더 없는 축복이다. 또 언제나 눈 돌리면 호시탐탐 나의 자리를 탐하는 타인이 있다. 어른들은 그 속에서 스스로를, 사랑하는 사람을 지킨다. 그리고 자신의 잘못, 실패에 대한 대가 또한 미지이다. 물론 신은 당신이 잊고 있을 때쯤 우리네 세상에 따뜻함 열 스푼을 휘휘 저으신다. (참고로 난 무교이다.)

학교는 딱딱하게 말하면 사회화 기관, 온화하게 말하면 사람들과 살아가는 방법을 배우는 곳이라고 생각한다. 손해도 보고 이익도 보아보며 자연스럽게 도덕적 행동강령이 만들어지는 곳, 상처를 받으면 친구들에게 위로 받고, 졸다가 친구가 주는 젤리 하나에 인정도 느끼는 곳, 맡은 역할에 대한 책임감과 리더십을 느끼는 곳 말이다. 난 고등학교 2학년 때 온라인 의학강좌수강 동아리를 기획하고, 그 동아리의 기장을 맡았었다. 동아리부원들과 저명한 해외대학의 강좌를 수강하고 후속

탐구를 진행하는 방식의 동아리였다. 따라서 기장으로서 나의 역할은 매주 수강할 강좌를 예습하고 정리한 후 동시통역하며 설명해주는 것이었다. 1년 동안 매주 이 준비를 하는 것이 가끔은 막막하고 부담됐지만, 기장으로서 약 20명의 부원들의 생기부를 책임져야 한다는 사명감이 날 일으켜 세웠다. 또한 선생님의 조언 덕에 내 역할을 책임 있게 다 할 수 있었다. 처음엔 나의 입시를 위해 맡은 역할이 어느새 공동체를 위한 책임감과 사명감의 총체로 변모해있었다. 이렇듯 학교는 다양한 기회의 장이다. 이곳에서 우린 여러 역할을 맡을 수 있고, 그 동안 느껴보지 못했던 경험과 깨달음을 얻을 수 있다. (그것도 무료로!) 현대의 학생들에게 옛날 7080 시대의 학생들만큼 '우리 다같이'를 외치는 공동체의식이 부족한 건 사실이다. 그러나 이것이 잘못된 것은 아니라고 생각한다. 적당한 개인주의는 사회의 발전에 따른 자연스런 결과일 뿐 우린 그러한 변화 속에서 잘 살아가고 있다. 그리고 학생들은 학교라는 작은 개인주의 사회 속에서 세상이라는 커다란 개인주의 사회를 멋지게 살아가는 방법을 배우고 있다.

'학교: 배우고 사귀는 장' 이라는 의미에 걸맞게 그곳에서 우린 공부와 더불어 사람을 사귀며 사람에게서 배우는 경험을 해왔던 것이다. 그리고 굳이 머리 짜내어 계획하지 않아도 불쑥 불쑥 찾아오는 게스트들이 있기에 쉴 틈 없이 바쁜 학생들의 하루가 외롭지 않은 것 아닐까? 오늘 당신의 하루 속 깜짝 게스트는 누구였는가?

더하여, 우린'효율! 효율!' 을 외치는 시대를 살고 있지만 가끔은 효율보단 의미 없이 보내는 시간이 더 기억에 남는지도 모르겠다. 이를테면 의미 없는 장난이라던가, 야자 땡땡이라던가, 영양사님 몰래 급식 2판 먹기라던가. 그러니 정말 가끔은 스스로를 위해서라도 (합법의 경계 내에서) 스릴 넘치는 비효율적인 하루를 보내보라.

4-2. just do it

한창 열아홉이 무르익어갈 때쯤 누군가 물었다.

"어떻게 그렇게 공부했어?"

"어떻게 그렇게 노력할 수 있었어?"

난 누군가에게 영감이 되는 한 마디를 해 줄 만큼 대단한 사람이 아니기에 한 마디 한 마디가 무척이나 조심스러웠다. 그리고 내 답은 매우 단순했다. 그래서 어렵지 않게 대답했다.

"그냥 했어."

"안 하면 죽는다 생각하고 미친 듯이 했어."

사실이었다. 지금 생각해보면 그 친구는 내 노력의 원동력을 물었던 것 같다. 무엇이 생각을 실행으로 옮겨냈는지. 그러나 정말로 별 게 없었다. 어떤 분야의 공부든 '해야지, 해볼까?'라고 생각이 든다면 곧장 곧바로 했다. 주변 친구들과 나의 차이점은 이것 하나였다. 대부분의 사람들은 번뜩 떠오른 생각과 동시에 그걸 실행하는 나를 떠올린다. 그리곤 생각과 행동 사이의 간극을 무언가로 메꾸어 어떻게든 내 몸에게 알리려고 한다. 그러나 사실 그 행위는 큰 가치가 없다고 생각한다. 생각이 번뜩 떠오르면 동시에 그걸 실행하는 내가 되면 된다. 구차한 변명으로 합리화 하기보단 일단 일어나서 구글링이라도 하면 된다. 그리고 놀랍게도 대단한 커리어를 자랑하는 내 주변 사람들

(나이, 성별 무관한)의 공통점이 모두들 아이디어 고안과 실행의 과정이 매우 단순하다는 것이다. 더하여 그 실행 과정에서 자잘한 방해물들을 괘념치 않고 앞만 보고 돌진한다. 그러니 직접 해보지도 않고 머릿속에서 당신의 호기심이나 열정을 단절시키지 마라. 스스로에게 변명하며 당신의 나태함을 인정하지 마라. 해야 한다는 걸 이미 아는데, 해보고 싶다는 생각이 드는데, 무지막지하게 긴급한 방해꾼이 있는 것도 아닌데 무엇을 그리 밍기적거리는가. 그냥 하자!

그러나 우린 로봇이 아니기에, 달리는 도중에 지칠 수 있다. 당연하다. 나의 얕은 경험에 비추어보자면, 고등학교 시기 중간고사 후 한창 수행평가와 생기부용 과제제출과 모의고사 준비, 기말고사 준비가 겹치는 시기가 있었다. 아마 대부분 고등 학생들에게 가장 취약의 시기는 중간고사 이후일 것이다. 기말고사와의 시간 간격도 매우 짧고, 그 사이에 온갖 과제가 쏟아지며, 가끔 좋은데 싫은 현장체험학습이 닥친다. 너무 바쁜데 노는 건 좋은 양가감정을 겪고 나면 기말고사가 한 달도 채 남지 않는다. 누구나 겪는 이 시기 속 나는 정말 지친 상태였다. 자칭 준비의 왕으로서 미리미리 할 일을 끝내는 성격이라 벼락치기는 겪어본 적도 없는데, 그럼에도 과제가 참 많이 남아 있었다.

'뭘 위해 이러고 있는 거지. 이렇게까지 할 가치가 있을까. 누구는 욜로 인생인데 난 뭐야. 아 짜증나. 안하고 싶어.'

정말 지쳤다. 지겨웠다. 그러나 꾸역꾸역 해 나갔다. 지금까지 한 게 아까워서라도 해야 했다. 이렇듯 내 삶은 좌절과 기상의 반복이었다. 아마 나의 미래도 이럴 듯싶다. 그렇다면 언제나 답은 하나일 것이다.

Just do it!

4-3. 터널을 걷고 있는, 걷기 전인 후배들에게

잘 하고 있어!!

정말 잘 하고 있다. 당신이 터널을 걷고 있다면 혹은 걸을 준비를 하고 있다면 잘 하고 있다고 말해주고 싶다. 세상엔 수도 없이 많은 터널들이 존재하는데, 십대의 우린 입시라는 터널을 걷고 있을 뿐이다. 물론 입시가 아닌 다른 길을 걷는 친구들도 마찬가지이다. 걷기 전엔 정말 막막하고 두렵다. 나의 경우 고등학교 진학 전 온갖 선행학습을 마치고자 아둥바둥거렸고, 고등학교 진학 후 첫 시험을 앞두고선 엄청난 불안감과 두려움에 휩싸였었다. 당연하다. 모두 처음 겪어보는 일이고, 대학이 앞으로의 인생에 영향을 끼치는 것은 분명하니까. 좋은 대학에 가면 인생이 조금 더 잘 풀리는 건 당연하니까. 그리고 가끔은 대학이라는 프레임 자체에 지대한 의미를 두곤 하니까. 어떤 이유든 십대에게 입시는 힘들 걸 알고도 가야 하는 터널이다. 그러니 충분히 불안해하고 걱정해라. 자신이 공자 맹자인 것처럼 스스로에게까지 내 기분을 숨기며 도 닦지 말고 충분히 두려워해라. 너의 감정을 인정하고 지금까지 그래왔던 것처럼 미래를 준비하면 된다. 모두가 거쳐가는 길이고, 그렇기 때문에 결국 해낼 일이다. 그러니 독기 품고 덤벼라.

Just do it.

그러다 보면 어느새 익숙해져 있을 것이다.

그리고 만약 당신이 터널 속을 걷는 중이라면, 야속하게도 남들의 "시간 금방 가"라는 말이 공감되지 않을 것이다. 나도 그랬다. 시간은 정말 죽어도 안 간다. (수능 D-100을 제외하고) 지겹게도 안 끝나는 입시 속에서 얼른 벗어나고 싶을 것이다. 그렇다면 어쩔 수 없다. 계속 하는 수 밖에. 그럼 정말 언젠가 시원섭섭하게 끝나있을 것이다. 지금 우리가 할 수 있는 최고의 것은 스스로에게 떳떳할 만큼 하루하루 열심히 사는 것이다. 자기 전

돌이켜보았을 때 노력 순도 100%의 하루를 살았다면, 그것은 당신의 최선이었으며 그러므로 훗날 어떤 하루도 결코 후회스럽지 않을 것이다. 그리고 그 사실은 나도 모르게 날 더 빛내고 있을 것이다. 견뎌낸 인고의 시간은 스스로를 향한 사랑으로서 돌아와 영원히 당신을 지켜줄 것이다.

그리고 명심하자. 모두 종이 한 장 차이이다. 정말 밉지만 가끔은 실력보다 운이 더 크게 작용하기도 한다. 그러므로 이게 내 최선이었다면 결과에 만족하고 앞으로를 살아가면 된다. 세상에 기회는 많고 우린 젊으니까. 십대의 열정과 노력은 그 대상이 무엇이든 그보다 아름다울 수 없다. 그러므로 노력하는 당신은 아름답다.

가끔 내 단점이나 구멍만 싱크홀처럼 커다래 보여서 혹은 돌아보니 내 행동이 후회스러워서 화가 날 수도, 내가 이걸 어떻게 했을까 싶을 정도로 뿌듯하기도 할 것이다. 다 괜찮으니 계속 해라.

잘 하고 있다.

Keep your chin up!

에필로그

"나의 작은 지혜로는 알 수가 없네

내가 아는 건 살아가는 방법뿐이야

보다 많은 실패와 고난의 시간이 비켜갈 수

없다는 걸 우린 깨달았네

이제 그 해답이 사랑이라면 나는 이세상

모든 것들을 사랑하겠네"

- 조용필, 〈바람의 노래〉 (1997)

거대한 우주의 질서 속에서 우리가 만약 인간이라면, 그렇다면 우린 너무나 작고 하찮은 존재이다. 생명의 탄생과 죽음의 진리가 무엇이든 상관없이, 살아가며 기억되는 모든 순간순간들이 가장 소중하다는 건 불변의 진리 아닌가. 우리의 지혜가, 우리의 크기만큼이나 작디작을지라도, 당신의 매일이 사랑을 잊지 않는다면 그 존재가치는 우주와 함께 가속 팽창할 것이다. 그러니 늘 우린 사랑스럽고 자랑스러운 존재란 걸 잊지 않길. 그리고 그러한 당신의 모든 나날을 응원한다!

어른들께는 스무 살 청년의 풋풋한 열기가, 후배들에게는 미래에 대한 다짐과 용기가 전해진 시간이 되었길 바라며.

– 우당탕탕 스무 살 백수 전지민

작가의 말

우당탕탕 스무 살 작가의 첫 이야기를 완독해 주셨군요. 고맙습니다.
이 책을 11월 말에 쓰기 시작했는데 벌써 24년의 1월이 며칠 남지 않았습니다. 야속하게도 빠르게 흘러가는 시간 속에서 독자님들의 시계는 계획대로, 예상대로 또 가치 있게 째깍째깍 흘러가기를 기원합니다.

비록 책 제목은 '아름다울 너의 열일곱 열여덟 열아홉'이지만, 사실 인생의 그 어느 시기도 아름답지 않은 때가 없죠☺ 그 시간을 마주하고 있을 당시는 뿌옇게 보이던 날들이 지나고 보니 찬란했던 기억으로 남아있으니까요. 마치 안개처럼요.
그리고 그러한 오늘을 함께해주신 독자님의 하루에 이 책이 은은한 잔향을 남기길 소망합니다.